Funster
Easter Word Search Book

Charles Timmerman
Founder of Funster.com

A Special Request

Your brief Amazon review could really help us. This link will take you to the Amazon.com review page for this book:

funster.com/review16

Introduction

How to Solve

These puzzles are in the classic word search format. Words are hidden in the grids in straight, unbroken lines: forward, backward, up, down, or diagonal. Words can overlap and cross each other. When you find a word, circle it in the grid and mark it off the list.

Cut It Out!

This book has wider inner margins. This means that you can easily cut or rip out the pages. Some people find this makes it more convenient to solve the puzzles.

Easter Parade

```
L F Y F G F V C T S E I D A L
T E D A R A O Z P L M V W N D
A S U M E S R E W O L F E R B
S T A O T H C B V W B O E N Y
T I G U S I M P R E S S R E T
E V M S A O E L Y T S H A T S
P E E L E N Y C K Y A D N U S
```

COSTUME	FASHION	HATS	SPECIAL
DRESS	FESTIVE	IMPRESS	STROLL
EASTER	FLOWERS	LADIES	STYLE
EVENT	GARB	NYC	SUNDAY
FAMOUS	GAUDY	PETS	TASTE

4   Solution on page 56

Family Time

```
P S N Q G E F U N B A B Y T G
L G T C V N C O O K I N G N J
A U H O O U I N U R T U R E A
Y H L G R N D K O L E V A R T
R O X E U I D I L R Y P P A H
X Y J E N A E D X A L E R P O
D O R G D E L S K Q T L A E M
```

BABY	HAPPY	LOVE	RELAX
BONDING	HUGS	MEAL	REUNION
COOKING	JOY	NURTURE	STORIES
DAD	KIDS	PARENT	TALKING
FUN	LAUGH	PLAY	TRAVEL

Solution on page 56

Candy Everywhere

```
S D E E S S S B X S T I C K H
D R U N S S U D I E G D U F U
N O O M I N T C R S O U R H H
U P P V K L I C K E E F F O T
O L E M A R A C D E N T I S T
M G Z C O L O R S R R A G U S
B P Q T A F F Y P A H F K G E
```

CARAMEL	FUDGE	NERDS	STICK
COLORS	KISS	PEZ	SUCKER
DENTIST	LICK	PRALINE	SUGAR
DROP	MINT	REESES	TAFFY
FLAVORS	MOUNDS	SOUR	TOFFEE

6

Solution on page 56

Easter Music

```
W W B E M E L O D Y L C Q Z N
F G A E T A E B P U H Y M N S
E O L R S G D O L U F Y O J U
V B L A I I N W R L I S T E N
O P A K C O A C S G N O S N D
L O D C L O H R P I A N O J A
K P B O H Y V C P T U N E S Y
```

BACH	HANDEL	MELODY	SONGS
BALLAD	HYMNS	ORGAN	SUNDAY
CHOIR	JOYFUL	PIANO	TUNES
CHURCH	LISTEN	POP	UPBEAT
FOLK	LOVE	PRAISE	VOCAL

Solution on page 56

Sunday Best

```
S P E C I A L A P E L S F J S
U T N E L Y T S B L S K I R T
T A O C P O T K L I S L N Q S
W J A C K E T N A G E L E F E
L W A H S I V H Z X S M O E O
E P R A U A T N E M R A G G H
E K L S L O O W R S S E R D S
```

ASCOT	ELEGANT	LAPELS	SPECIAL
BLAZER	FINE	SHAWL	STYLE
CAPE	GARMENT	SHOES	SUIT
CLOTHES	HEELS	SILK	TOPCOAT
DRESS	JACKET	SKIRT	WOOL

8   Solution on page 56

Giving Gifts

```
Y L A I C E P S O A P S Y V V
D O B E M U F R E P X R F I T
N N T Y A D I L O H L E A D T
A S E S R U P B L E T W M E A
C F T I S S U E W O B O I O G
W R A P R E S E N T N L L S D
M O N E Y F J G A B C F Y C M
```

BAG	FLOWERS	PERFUME	TAG
BOW	FRIEND	PRESENT	TISSUE
CANDY	HOLIDAY	PURSES	TOY
CLOTHES	JEWELRY	SOAP	VIDEOS
FAMILY	MONEY	SPECIAL	WRAP

Solution on page 56

Easter Bunny

```
Z B P P P E V P G R A B B I T
C H I L D A M L B L M O T E R
E I G I F T S U E A N H A R E
S D Y G N U F T T N S U I A A
A E Y U E X U U E S L K L Y T
P O H E N C Z T F L O W E R S
K S E M A G N I R P S C N T K
```

BASKET   DYE   GIFTS   PASTELS
BONNET   EGG   HARE   RABBIT
CHILD   FLOWERS   HIDE   SPRING
COSTUME FUN   HOP   TAIL
CUTE   GAMES   HUNT   TREATS

Solution on page 57

Vacation Time

```
C O A T I C K E T S A N D S H
A M I W S N X N N T C Z K H O
R E L A X P N A R J R U A O A
F A M I L Y E I F O O D B P Z
F L Z O Y C P C M U A Y S A N
W S R T O U R Q T W S D X C V
P E G N U O L C C S J K O K F
```

CAR	INN	RELAX	SPA
ENJOY	LOUNGE	ROAD	SWIM
EXPLORE	MEALS	SAND	TICKETS
FAMILY	OCEAN	SCUBA	TOUR
FOOD	PACK	SHOP	TRIP

Solution on page 57

Pastel Colors

```
S P O M P N N E U T R A L N M
L O O C L J T N I T Q C P I C
L X O M M A U V E U R E V R E
A V I T I E C C A E A O U E U
E N K K H L I L A C R M S L A
T F O S V A K M H Y Z G H E B
I H E V C P Y Y O L J G W J P
```

AQUA	ERIN	MILKY	ROSE
BLUE	GREEN	MINT	SOFT
CALM	IVORY	NEUTRAL	SOOTH
COOL	LILAC	PALE	TEAL
CREAM	MAUVE	PEACH	TINT

12   Solution on page 57

Lots of Fun

```
R Y C R A F T S B I A T L T E
E A C Y T E K O A R A K E I K
C L E I C R W S K R A P V S I
C P Z H N L I N I F T O A I H
O A E Z I C I P N A M U R V H
S S M N U S I N G I N G T O W
S H G P J P H P G R S D I K C
```

BAKING	CYCLING	MOVIE	SINGING
BOWLING	FAIR	PARKS	SOCCER
CAMP	HIKE	PICNIC	TRAVEL
CHESS	KARAOKE	PLAY	TRIP
CRAFTS	KIDS	PUZZLE	VISIT

Solution on page 57

Brunch

```
W I E G G S S C H E E S E D B
M E E F F O C S H M E T E A U
E L C A U M U F F I N G C E F
L F I P U N R R L L C O W R F
O F U S D U C I M K N K R B E
N A J A I K O B D E S S E R T
Y W Y T Y D W P A S T R Y N G
```

BACON
BREAD
BUFFET
CHEESE
CHICKEN

COFFEE
DESSERT
DOILIES
EGGS
FRUIT

GOURMET
JUICE
MELON
MILK
MUFFIN

PASTRY
SOUP
SUNDAY
TEA
WAFFLE

14

Solution on page 57

Baskets

```
M K R A B E T P N A T T A R D
H L Y R D N U A L I D R E E D
O V A W A R T S C A V E L T O
L I T P D E L P M I S I N S O
D N P P U B E G A R O T S A W
N E V O W I R E K C I W I E C
M S F U M F Y X J W X P R C E
```

BARK	FIBER	PLASTIC	STRAW
BRAID	HOLD	RATTAN	VINES
CANE	LAUNDRY	REED	WICKER
COILED	LID	SIMPLE	WOOD
EASTER	PALM	STORAGE	WOVEN

Solution on page 57

Springtime

```
C R N I A R M Q E W Y W F R T
G N O D G L G T O I W L R A H
B U D S M I I R Q S O A E B A
G S N O E K M V E W R W S B W
E Y O U T S I D E E G N H I A
P L A N T G A R D E N R V T B
B N O S A E S P I L U T L E M
```

ALIVE	GARDEN	MELT	ROSES
BLOOM	GREEN	OUTSIDE	SEASON
BUDS	GROW	PLANT	THAW
FLOWERS	KITE	RABBIT	TULIPS
FRESH	LAWN	RAIN	WORMS

16   Solution on page 58

White House Easter Egg Roll

```
S L R E G G L H S H G T I W N
E U A S J U R P O R Y P K W U
R V C U S Y E S A L A I A A Z
O Q E A N E T S I R D L I H C
L L Y N C N S M T S N O O P S
L J U H T R A Y J S O T Z I V
H B O G W F E T I S M T G N S
```

ANNUAL	EVENT	KIDS	ROLL
BUNNY	FAMILY	LAWN	SITE
CHILD	GRASS	MONDAY	SPEECH
EASTER	GUESTS	PARTY	SPOON
EGG	HOST	RACE	USA

Solution on page 58

Jelly Beans

```
Z Q D U T M F R U I T E U M T
E B E A N S G P L U M M L Y K
O P S U G A R E N L E I E M C
M T A V B D G O S U U L M M V
Y Y R R E H C D L H L G O U I
O Q O R G O I B P O L O N G F
R S T I C K Y U W F C A N D Y
```

BAG	COCONUT	GUMMY	RED
BEAN	COLORS	KIDS	STICKY
BLUE	FRUIT	LEMON	SUGAR
CANDY	GEL	LIME	TASTY
CHERRY	GRAPE	PLUM	YELLOW

Solution on page 58

Festival

```
Y W K S N A C K S T R E E T P
R V X C H S A P D C I S U M G
T I C K E T E E L I B U J E A
O K D M S O O B C F U N N R L
F G A E P S R O D N E V T R A
Z G I L S D I K B H A P P Y D
N F E P O P C O R N P D O O F
```

ART	FUN	KIDS	RIDES
BOOTHS	GALA	MERRY	SNACKS
DANCE	GAMES	MUSIC	STREET
FIESTA	HAPPY	PEOPLE	TICKET
FOOD	JUBILEE	POPCORN	VENDORS

Solution on page 58

Jesus Has Risen!

```
E T K C J M X F R E L A E H N
L E V O L S A V I O U R C E C
C A L F E I L E B S E R V L R
A C Q I T T S Y Z J U A L B O
R H G H L P R O P H E T O I S
I E R E Y A R P C H J K R B S
M R T O M B G E N I V I D O G
```

BAPTISM

BELIEF

BIBLE

CHURCH

CROSS

DIVINE

FAITH

GALILEE

GOD

HEALER

HEAVEN

LORD

LOVE

MARY

MIRACLE

PRAYER

PROPHET

SAVIOUR

TEACHER

TOMB

Solution on page 58

Easter Bonnet

```
W P S E Y F E S C L A D Y Y N
B O W N R G V L U L B G A N E
B P E I G E I G E F T R A E W
U U L I L I T T I P A A W M H
F L O W E R S S P R I N G O A
S A T I N A E E A X L D C W T
N R O W P D F V D E F S F Y V
```

BOW   FLOWERS   HEAD   SATIN
DESIGNS   FRILLS   LADY   SPRING
EASTER   GIRLS   NEW   WEAR
FANCY   GRAND   PASTEL   WOMEN
FESTIVE   HAT   POPULAR   WORN

Solution on page 58

Auto Travel

```
O S S I G N S U N R O O F U N
V I S I T E T U O R N R O H F
S M P E R R H O O D E R I T L
H P G E L N S K A E R B A Y L
K L N M H I G H W A Y I N C G
C E D W O N M A P L V W V F P
K E U D B N Y E U T O T A E S
```

BREAK	GPS	MAP	SIGNS
CAR	HIGHWAY	MILES	SIMPLE
DRIVE	HOOD	ROUTE	SUNROOF
FREEWAY	HORN	SEAT	TIRE
FUN	INN	SERENE	VISIT

Solution on page 59

Rabbits

```
E M Z L E A S T E R E T T I L
W S Y L A K N W O R B F S B H
Y E R A C M H P O H U T Y T U
F A R M R I M H A R E S N E T
E A R S T G S A S P R I N G C
A L B E E A N I M A L U U A H
S D J O G C R F D E E R B C F
```

ANIMAL	CAGE	FUR	MAMMAL
BREED	CARE	GRAY	PETS
BROWN	EARS	HARES	SMALL
BUNNY	EASTER	HUTCH	SPRING
BURROWS	FARM	LITTER	WHITE

Solution on page 59

Spring Cleaning

```
J B U C K E T S T G M A T T X
T S U D S L I A P R U O C S X
G E U B R O O M W I I F P Z T
T M Y G B S T E A M L D H R I
C I C A C L E A N E R L O N D
L I B R A G E N I V V S S U Y
G L A P O L I S H I N E E R A
```

BROOM	GRIME	POLISH	SPILLS
BUBBLES	HOSE	RAG	STEAM
BUCKET	MOP	SCOUR	SUDS
CLEANER	MUD	SHINE	TIDY
DIRT	PAIL	SORT	VINEGAR

Solution on page 59

Guests

```
O F F A M I L Y H D J B G V F
C U P B L A E C C O K A I O R
N E T A A U N T I E T S O A I
O C E A R U J N K H I D C U E
T M I L L T O B E T I L O P N
L P I R T K Y R I R E N N I D
C F D S B A G A M E S G C G B
```

AUNT	FAMILY	GATHER	PARTY
BAG	FOOD	JOIN	POLITE
CAR	FRIEND	LUNCH	TALK
DINNER	FUN	MANNERS	TRIP
ENJOY	GAMES	MEAL	VISIT

Solution on page 59

Playing with Toys

```
M U R D T L O J A C K S W K K
O S E N A L P Z L F K O I C T
S R I E I B R A B C O T P O R
L A A T C G Y M O D E L B A A
P F V E H I C L E T U O S C I
J X M R B F B N P S R A C F N
E R X P J T O P H N U F F M U
```

BARBIE	DRUM	MODEL	ROBOT
BEAR	FUN	PAINT	TOP
BLOCKS	GIFT	PLANES	TRAIN
CAR	JACKS	PLUSH	VEHICLE
CLAY	KITE	PRETEND	WOODEN

Solution on page 59

Gardens Grow

```
N S L Y L B R E H H S A U Q S
M E W A P E P P E R S E Z U P
U E S E W B T R P O T A T O A
Q D N O L D U T S L B C N C D
X I L O R N E B U N A R A G E
V F O T A M O T U C O R A I N
N M N M L H H S T C E S N I Z
```

BLOOM	HERB	PEPPERS	SPADE
CACTUS	HOE	POTATO	SQUASH
CARE	INSECTS	RAIN	SUN
CORN	LETTUCE	ROSE	TOMATO
FLOWER	MANURE	SEED	VINE

Solution on page 59

Eggs

```
C I H D M U H P E M F W K T D
H C W E M B R Y O D A L S P E
I Y A L L F R Y Y A O L B T C
C V P I C K L E D Y C E I F N
K W O V F I D H A T C H R O G
E B L E H C I U Q K W S D S R
N R T D U C K F A R M R A W T
```

BIRD
BOIL
BREAK
CHICKEN
DEVILED

DUCK
DYED
EMBRYO
FARM
FRY

HATCH
LAY
PICKLED
POACH
QUICHE

RAW
SHELL
SOFT
WHITE
YOLK

Solution on page 60

Easter Traditions

```
S S E R D O O F G F E A S T P
H C D L W M O R N I N G G E Y
N C A C E T Y D I N N E R E A
E E R B O N N E T I B B A R D
S F A U N T J S P I L U T N
I I P U H H F F A M I L Y M U
R L B F H C M T F L O W E R S
```

BONNET	EGG	FOOD	PARADE
BUNNY	FAMILY	HUNT	RABBIT
CHURCH	FASTING	LENT	RISEN
DINNER	FEAST	LIFE	SUNDAY
DRESS	FLOWERS	MORNING	TULIPS

Solution on page 60

Party Fun

```
G Y L A T E Y R R E M F E X I
H M A S K S D I K I H V I T G
A G U E S T S I N G I N G S I
P W G S E M A G N T V D O O F
P V H X K D L P S I E M E H T
Y L L O J E Y E T S N A C K S
J Y L I M A F E L P O E P K V
```

FAMILY	GUESTS	KIDS	MINGLE
FESTIVE	HAPPY	LATE	PEOPLE
FOOD	HOST	LAUGH	SINGING
GAMES	INVITE	MASKS	SNACKS
GIFTS	JOLLY	MERRY	THEME

30   Solution on page 60

Love

```
L M E V P A R T N E R Z H U G
Y O O R M U S I C O U P L E N
S P V M I T E N G A G E D T I
S B P I R S D N E I R F N A L
I S O A N Z E T R U S T J M E
K D E N H G R D A D N H T C E
J H W E D D I N G N I L L A F
```

ATTRACT	ENGAGED	HEART	MOM
BOND	FALLING	HUG	MUSIC
COUPLE	FEELING	KISS	PARTNER
DAD	FRIENDS	LOVING	TRUST
DESIRE	HAPPY	MATE	WEDDING

Solution on page 60

Grandma and Grandpa

```
L T G M J M U P N D Q V B E N
P W R N T G S S R S W A D U Q
U A D N I K P X E W Q H F Y S
W L L F S V O N L L C Z P O X
G K T Q I F I G D A I P Z J S
I S W E V O L G E G A M E S N
W I S E R A C T R H U G S T O
```

CARE	GIVING	LAP	TEACH
ELDER	HAPPY	LOVE	VISIT
FUN	HUGS	SENIOR	WALKS
GAMES	JOY	SMILES	WARM
GIFTS	KIND	SPOIL	WISE

Solution on page 60

Sunny Days

```
J V I C N B R Y N R U B N U S
Y V V I B R A N T P O O L M W
K G C N S E D W E A T H E R I
S R A C K Y I A T G T C A A M
Z T A I K E A I O I T A P W Q
V P H P S U N R I S E E H O T
B B E J O G T D S T H B B N M
```

BEACH	JOG	RADIANT	SWIM
BOATING	PARK	RAYS	TAN
HAT	PATIO	SKY	VIBRANT
HIKE	PICNIC	SUNBURN	WARM
HOT	POOL	SUNRISE	WEATHER

Solution on page 60

Easter Island

```
P R S L L A W H T X B E A C H
A A H N A E C O D N A L S I A
R P V O L T V E L S E C A F C
K A Z I U B O A D B M O A I A
Q S H D U S I A R O C K S C V
Y C S T O N E R U T L U C A E
R E T A W H K S H S I N A P S
```

BEACH	FACE	OCEAN	SPANISH
CAVES	HEADS	PACIFIC	STONE
CHILE	HOUSES	PARK	TRAVEL
CULTURE	ISLAND	RAPA	WALLS
DUTCH	MOAI	ROCKS	WATER

Solution on page 61

Picnic Time

```
O Y L I M A F Y T Y S W H P V
E X A L E R S R T N K C A P X
B K U D U P E J I S A P W L Y
T A A I U L N K S E L P P A S
O H T C O U P A B W N U X T O
S D O O F A R B R E A D U E D
O P C R N G B P G A M E S S A
```

ANT	COOLER	FRUIT	PLATES
APPLES	CUPS	FUN	RELAX
BEACH	FAMILY	GAMES	SHADE
BREAD	FOOD	GRASS	SLAW
CAKE	FRIENDS	NAPKINS	SODA

Solution on page 61

Going to Church

```
U V R E C I T E M B O P D K Y
T I T H E A H A I H R R G S L
B S E R M O N S L A H E G S O
P I F A I T H D I T X Y D A H
K U B C R O S S L R A A M M N
L R E L P M E T Y E A R U N K
G R A C E P T S E I R P E W S
```

ALTAR	FAITH	ORGAN	PRIEST
BIBLE	GRACE	PARISH	RECITE
BISHOP	HOLY	PEW	SERMON
CANDLE	HYMNS	PRAISE	TEMPLE
CROSS	MASS	PRAYER	TITHE

Solution on page 61

Easter Dinner

```
A D L B H H F L P E G C G Q K
G L L A T S Y R C I J O P U C
B M O N O I E A U H C O C O N
L A R Q L F R I T I I K R B O
E D K U C G I I R S T N L E O
W S D E S S E R T F A T A E P
P J S T O R R A C V H P R F S
```

BAKE	CLOTH	DESSERT	GRACE
BANQUET	COOK	EAT	PASTA
BEEF	CORN	FISH	PICKLES
CARROTS	CRYSTAL	FRIES	ROLL
CHINA	CUP	FRUIT	SPOON

Solution on page 61

Easter Lilies

```
B E T I H W E M U F R E P N Y
U I U K W C Y T U A E B A O S
L E C G L O R Y L E A V E S T
B R I G H T R U M P E T B A O
S N E L L O P G H V V A S E O
C T R E W O L F A C B Y H S R
T N A L P O T T E D M O O L B
```

BEAUTY
BLOOM
BRIGHT
BULBS
CHURCH

CUT
FLOWER
GLORY
GROW
LEAVES

PERFUME
PLANT
POLLEN
POPULAR
POTTED

ROOTS
SEASON
TRUMPET
VASE
WHITE

Solution on page 61

Chickens

```
E S C K N A X Z W O L L E Y C
T N K A E B B E K F D E I R F
P E T C I M D C G C N E S T S
F H O R O E U X A N I M A L G
P O D C E L E H C T A H L U N
P K W F C G F A R M J R C O I
X I U L U X G X V I P H X P W
```

ANIMAL	COMB	FLOCK	NESTS
BEAK	COOP	FOWL	POULTRY
BIRD	EGG	FRIED	RANGE
CHICK	FARM	HATCH	WINGS
CLUCK	FEED	HENS	YELLOW

Solution on page 61

Celebrate

```
D P T S A E F R G N I V I G S
G H A L E T E N N O B Z M F U
J R C R I I Y L I M A F U O N
N W A N A L K G N I R P S O D
I U U S U D Y O R E N N I D A
G I F T S R E W O L F P C G Y
S P I L U T B K M C H U R C H
```

BONNET	FAMILY	GIFTS	MUSIC
BRUNCH	FEAST	GIVING	PARADE
CHURCH	FLOWERS	GRASS	SPRING
COOKIES	FOOD	LILY	SUNDAY
DINNER	FUN	MORNING	TULIPS

Solution on page 62

Family Vacation

```
R S E H J Y E R U T A N N B W
C L N C I O A X A L E R D N E
J A J A E S U W P O O L O B I
V E O E C W L R H L E T O M V
K M Y B S K R A N G O F F O T
O H S O N G S D N E I R F T G
T R I P Q O R O A D Y H E B F
```

BEACH	HIGHWAY	MOTEL	SEA
ENJOY	INN	NATURE	SNACKS
EXPLORE	ISLAND	POOL	SONGS
FOOD	JOURNEY	RELAX	TRIP
FRIENDS	MEALS	ROAD	VIEW

Solution on page 62

Sunday

```
I C Y S O F A T A L K E X C T
Q K W I W D E Y L I M A F H B
V L T F B O O K S E L Z Z U P
J A A A S T R O L L E V I R D
P W K O G N I K I B E B S C B
W E S L O W U H L T S E R H R
Y U M U S I C F H K R A P A P
```

BAKE
BIKING
BOOKS
CHILLAX
CHURCH

DRIVE
FAMILY
FUN
LOAF
MUSIC

PARK
PATIO
PUZZLES
REST
SLEEP

SLOW
SOFA
STROLL
TALK
WALK

Solution on page 62

Playful Puppies

```
R E N E R G Y O U N G F U N N
L O V I N G I C Q E K P S U N
S B L I O W Y L K Y T M R A W
E Q Q L T L I D P S E U M S H
Y S M U L C O P Y S E J C Y L
Z V D I K Y A C H E W B H O P
E Z S S W H L L A M S O F T B
```

ACTIVE | FUN | MESSY | SOFT
CHEW | HAPPY | ROLL | SWEET
CLUMSY | JUMP | RUN | TOYS
CUTE | LICKS | SILLY | WARM
ENERGY | LOVING | SMALL | YOUNG

Solution on page 62

Easter Joy

```
N U S R E W O L F H F I G K K
S G G E L I M S U R N Y C I E
Y S P R I N G G I G G L E S V
O D L B C N N E S I R I K S O
T R A W C A N D Y W R M A E L
Y A Y K I D S U J K H A C S W
F C C I S U M U B I I F Y T Y
```

BUNNIES
CAKE
CANDY
CARDS
EGGS

FAMILY
FLOWERS
FRIENDS
GIGGLES
HUG

KIDS
KISSES
LOVE
MUSIC
PLAY

RISEN
SMILE
SPRING
SUN
TOYS

Solution on page 62

Flowers Everywhere

```
C B N V D G E N W R E A T H W
F R A T C E N Z P E T E N Z M
S S T E M Y K I Y E L U E B S
E T U L I P S C R O O Z C E M
A O R C H I D I I P A N S Y E
K P E T A L S V A P S O Y G L
I R I S G K U X T D R Y L I L
```

CUT	NECTAR	PICKED	STEM
DAISY	ORCHID	ROSES	TULIPS
IRIS	PANSY	SCENT	VASE
LILY	PEONY	SMELL	VIOLET
NATURE	PETALS	SPRING	WREATH

Solution on page 62

Tree House

```
Q B G W R E B M U L Y U L I B
T R E E T E R C E S F K W U Z
E I P L A Y A R D B U I L D O
V O E A W I N D O W R C H W J
R L B M I L C U S T O M O H I
C G N D E N H I G H O O V T W
A Q H W X S T N A S D I K U H
```

ANTS	CUSTOM	LUMBER	TREE
BRANCH	DEN	PAINT	VIEW
BUILD	DOOR	PLAY	WINDOW
CLIMB	HIGH	ROPE	WOOD
CLUB	KIDS	SECRET	YARD

Solution on page 63

Renewal

```
V N T E S D N I M L A U T I R
H R E O V A N B Z C H A N G E
A E R W E E S P R I N G B M T
P L A L G N I L E E F X O O T
P A C E C N A L A B A C R O E
Y X I M P R O V E E E T N L B
N F R E S H T R I B E R H B L
```

BALANCE	BORN	FEELING	NEW
BECOME	BREATH	FRESH	REBIRTH
BELIEVE	CARE	HAPPY	RELAX
BETTER	CHANGE	IMPROVE	RITUAL
BLOOM	CLEAN	MINDSET	SPRING

Solution on page 63

Lots of Chocolate

```
T N Z C R N A O C O C A N D Y
E F H A X O B E K A H S B E U
E H G K V V A K U D U U I S L
W U D E U B R O W N N K P S A
S Y R U P A E U D N O F I E C
K R K U D N C A Y O T A E R T
W R F U D G E H C I R Z E T V
```

BAR	CANDY	FONDUE	SUGAR
BOX	COCOA	FUDGE	SUNDAE
BROWN	COOKIE	PIE	SWEET
BUNNY	DARK	RICH	SYRUP
CAKE	DESSERT	SHAKE	TREAT

48   Solution on page 63

Flying Kites

```
C A D V O M L B X D F B Y Y S
W C Q N C L R H J U I O O K J
Y D P U O E L G N A T V C X U
K T A R E M U I E T F I E L D
Y P P Z M S A H F W R I A S M
I E E R T G N I R T S D I K J
Q K R G C V L O D L E U R Y T
```

AIR	FIELD	LIFT	STRING
BOX	FUN	PAPER	TANGLE
BREEZE	GUST	ROLL	TOY
DIAMOND	HIGH	RUN	TREE
DIVE	KIDS	SKY	TRICKS

Solution on page 63

At the Farm

```
S E S R O H S E E D S C O W N
S M I L K M F T L B R P E P Y
A R I B A R N E A O D L E I F
C S M N J M I R P O T O W G H
P U U L E Y I S K T G W I R W
L R N C A D T N A S N A E J P
E Z D H R O T C A R T Z F J J
```

ANIMALS	CROPS	HORSE	PLOW
BARN	DENIM	JEANS	SEEDS
BOOTS	FIELD	MANURE	SILO
CATTLE	GOATS	MILK	TRACTOR
COW	HAY	PIG	YIELD

Solution on page 63

Decorations

```
N G I S E D S E L D N A C D S
M F O R M W R E J T N C E I O
U A W O O I E M S R I C G C T
R B L L S N W I G A A E G P O
A R L O A D O R N L V N S M H
L I A C I O L T S R E T S O P
P C W V C W F S T E K S A B V
```

ACCENTS	COLORS	FLOWERS	POSTERS
ADORN	DECALS	MOSAIC	TRIM
ART	DESIGN	MURAL	VASES
BASKETS	EGGS	PHOTOS	WALL
CANDLES	FABRIC	PILLOWS	WINDOW

Solution on page 63

Lent

```
H O L Y T P G E R A T F O O D
J N N D N R N A B N O I S H O
C S O A E E I S B C M J M I G
C S S Y L P T T N E P E R I A
O O A S B A S E H S A S L B L
J R E W I R A R B Z H U W O M
P C S N B E F A I T H S W D S
```

ABSTAIN
ALMS
ASHES
BIBLE
CROSS

DAYS
EASTER
FAITH
FASTING
FOOD

GOD
HOLY
JESUS
LENT
LIMIT

PRAYER
PREPARE
REPENT
SEASON
SOLEMN

Solution on page 64

Sunrise

```
H C O T H G I R B Y J O T P S
E O K R D N F K T A C X S S T
Q L R N A I M T X E O Y O H A
K O I I Y N E K A W A L G I R
L R S G Z R G N I R A I N K S
L S E E P O K E A R L Y U E N
D M M B B M N T I M E X S Q W
```

AWAKE	EARLY	NEW	RISE
BEGIN	HIKE	OCEAN	SOLAR
BRIGHT	HORIZON	ORANGE	STARS
COLORS	LIGHT	PRETTY	SUN
DAY	MORNING	RAYS	TIME

Solution on page 64

Easter Egg Hunt

```
D L I H C A N D I E S D I K F
H O D D O A C O L O R P Y Z L
U B U N N Y D E K C A R C E D
N A E F T I Y B A S K E T A F
T N E V E Q F E U V G S M T U
P C I T S A L P G R A S S A E
P A I N T E Z I R P Y N D Q G
```

BASKET	COLOR	EVENT	KIDS
BUNNY	CONTEST	FIND	PAINT
CADBURY	CRACKED	GAME	PASTEL
CANDIES	DYE	GRASS	PLASTIC
CHILD	EAT	HUNT	PRIZE

Solution on page 64

Answers

Easter Parade

```
L F Y F G F V C T S E I D A L
T E D A R A O Z P L M V W N D
A S U M E S R E W O L F E R B
S T A O T H C B V W B O E N Y
T I G U S I M P R E S S R E T
E V M S A O E L Y T S H A T S
P E E L E N Y C K Y A D N U S
```

Family Time

```
P S N Q G E F U N B A B Y T G
L G T C V N C O O K I N G N J
A U H O O U I N U R T U R E A
Y H L G R N D K O L E V A R T
R O X E U I D I L R Y P P A H
X Y J E N A E D X A L E R P O
D O R G D E L S K Q T L A E M
```

Candy Everywhere

```
S D E E S S S B X S T I C K H
D R U N S S U D I E G D U F U
N O O M I N T C R S O U R H H
U P P V K L I C K E E F F O T
O L E M A R A C D E N T I S T
M G Z C O L O R S R R A G U S
B P Q T A F F Y P A H F K G E
```

Easter Music

```
W W B E M E L O D Y L C Q Z N
F G A E T A E B P U H Y M N S
E O L R S G D O L U F Y O J U
V B L A I I N W R L I S T E N
O P A K C O A C S G N O S N D
L O D C L O H R P I A N O J A
K P B O H V C P T U N E S Y
```

Sunday Best

```
S P E C I A L A P E L S F J S
U T N E L Y T S B L S K I R T
T A O C P O T K L I S L N Q S
W J A C K E T N A G E L E F E
L W A H S I V H Z X S M O E O
E P R A U A T N E M R A G G H
E K L S L O O W R S S E R D S
```

Giving Gifts

```
Y L A I C E P S O A P S Y V V
D O B E M U F R E P X R F I T
N N T Y A D I L O H L E A D T
A S E S R U P B L E T W M E A
C F T I S S U E W O B O I G
W R A P R E S E N T N L L S D
M O N E Y F J G A B C F Y C M
```

Easter Bunny

Vacation Time

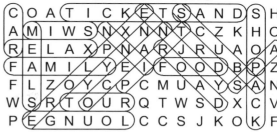

Pastel Colors

Lots of Fun

Brunch

Baskets

Answers

Springtime

```
C R N I A R M Q E W Y W F R T
G N O D G L G T O I W L R A H
B U D S M I I R Q S O A E B A
G S N O E K M V E W R W S B W
E Y O U T S I D E E G N H I A
P L A N T G A R D E N R V T B
B N O S A E S P I L U T L E M
```

White House Easter Egg Roll

```
S L R E G G L H S H G T I W N
E U A S J U R P O R Y P K W U
R V C U S Y E S A L A I A A Z
O Q E A N E T S I R D L I H C
L L Y N C N S M T S N O O P S
L J U H T R A Y J S O T Z I V
H B O G W F E T I S M T G N S
```

Jelly Beans

```
Z Q D U T M F R U I T E U M T
E B E A N S G P L U M M L Y K
O P S U G A R E N L E I E M C
M T A V B D G O S U U L M M V
Y Y R R E H C D L H L G O U I
O Q O R G O I B P O L O N G F
R S T I C K Y U W F C A N D Y
```

Festival

```
Y W K S N A C K S T R E E T P
R V X C H S A P D C I S U M G
T I C K E T E E L I B U J E A
O K D M S O O B C F U N N R L
F G A E P S R O D N E V T R A
Z G I L S D I K B H A P P Y D
N F E P O P C O R N P D O O F
```

Jesus Has Risen!

```
E T K C J M X F R E L A E H N
L E V O L S A V I O U R C E C
C A L F E I L E B S E R V L R
A C Q I T T S Y Z J U A L B O
R H G L P R O P H E T O I S
I E R E Y A R P C H J K R B S
M R T O M B G E N I V I D O G
```

Easter Bonnet

```
W P S E Y F E S C L A D Y Y N
B O W N R G V L U L B G A N E
B P E I G E I G E F T R A E W
U U L I L I T T I P A A W M H
F L O W E R S S P R I N G O A
S A T I N A E E A X L D C W T
N R O W P D F V D E F S F Y V
```

Auto Travel

```
O S S I G N S U N R O O F U N
V I S I T E T U O R N R O H F
S M P E R R H O O D E R I T L
H P G E L N S K A E R B A Y L
K L N M H I G H W A Y I N C G
C E D W O N M A P L V W V F P
K E U D B N Y E U T O T A E S
```

Rabbits

```
E M Z L E A S T E R E T T I L
W S Y L A K N W O R B F S B H
Y E R A C M P H O H U T Y T U
F A R M R I M H A R E S N E T
E A R S T G S A S P R I N G C
A L B E E A N I M A L U U A H
S D J O G C R F D E E R B C F
```

Spring Cleaning

```
J B U C K E T S T G M A T T X
T S U D S L I A P R U O C S X
G E U B R O O M W I I F P Z T
T M Y G B S T E A M L D H R I
C I C A C L E A N E R L O N D
L I B R A G E N I V V S S U Y
G L A P O L I S H I N E E R A
```

Guests

```
O F F A M I L Y H D J B G V F
C U P B L A E C C O K A I O R
N E T A A U N T I E T S O A I
O C E A R U J N K H I D C U E
T M I L L T O B E T I L O P N
L P I R T K Y R I R E N N I D
C F D S B A G A M E S G C G B
```

Playing with Toys

```
M U R D T L O J A C K S W K K
O S E N A L P Z L F K O I C T
S R I E I B R A B C O T P O R
L A A T C G Y M O D E L B A A
P F V E H I C L E T U O S C I
J X M R B F B N P S R A C F N
E R X P J T O P H N U F F M U
```

Gardens Grow

```
N S L Y L B R E H H S A U Q S
M E W A P E P P E R S E Z U P
U E S E W B T R P O T A T O A
Q D N O L D U T S L B C N C D
X I L O R N E B U N A R A G E
V F O T A M O T U C O R A I N
N M N M L H H S T C E S N I Z
```

Eggs

```
C I H D M U H P E M F W K T D
H C W E M B R Y O D A L S P E
I Y A L L F R Y Y A O L B T C
C V P I C K L E D Y C E I F N
K W O V F I D H A T C H R O G
E B L E H C I U Q K W S D S R
N R T D U C K F A R M R A W T
```

Easter Traditions

```
S S E R D O O F G F E A S T P
H C D L W M O R N I N G G E Y
N C A C E T Y D I N N E R E A
E E R B O N N E T I B B A R D
S F A U N U T J S P I L U T N
I I P U H H F F A M I L Y M U
R L B F H C M T F L O W E R S
```

Party Fun

```
G Y L A T E Y R R E M F E X I
H M A S K S D I K I H V I T G
A G U E S T S I N G I N G S I
P W G S E M A G N T V D O O F
P V H X K D L P S I E M E H T
Y L L O J E Y E T S N A C K S
J Y L I M A F E L P O E P K V
```

Love

```
L M E V P A R T N E R Z H U G
Y O O R M U S I C O U P L E N
S P V M I T E N G A G E D T I
S B P I R S D N E I R F N A L
I S O A N Z E T R U S T J M E
K D E N H G R D A D N H T C E
J H W E D D I N G N I L L A F
```

Grandma and Grandpa

```
L T G M J M U P N D Q V B E N
P W R N T G S S R S W A D U Q
U A D N I K P X E W Q H F Y S
W L L F S V O N L L C Z P O X
G K T Q I F I G D A I P Z J S
I S W E V O L G E G A M E S N
W I S E R A C T R H U G S T O
```

Sunny Days

```
J V I C N B R Y N R U B N U S
Y V I B R A N T P O O L M W
K G C N S E D W E A T H E R I
S R A C K Y I A T G T C A A M
Z T A I K E A I O I T A P W Q
V P H P S U N R I S E E H O T
B B E J O G T D S T H B B N M
```

Answers

Easter Island

```
P R S L L A W H T X B E A C H
A A H N A E C O D N A L S I A
R P V O L T V E L S E C A F C
K A Z I U B O A D B M O A I A
Q S H D U S I A R O C K S C V
Y C S T O N E R U T L U C A E
R E T A W H K S H S I N A P S
```

Picnic Time

```
O Y L I M A F Y T Y S W H P V
E X A L E R S R T N K C A P X
B K U D U P E J I S A P W L Y
T A A I U L N K S E L P P A S
O H T C O U P A B W N U X T O
S D O O F A R B R E A D U E D
O P C R N G B P G A M E S S A
```

Going to Church

```
U V R E C I T E M B O P D K Y
T I T H E A H A I H R R G S L
B S E R M O N S L A H E G S O
P I F A I T H D I T X Y D A H
K U B C R O S S L R A A M M N
L R E L P M E T Y E A R U N K
G R A C E P T S E I R P E W S
```

Easter Dinner

```
A D L B H H F L P E G C G Q K
G L L A T S Y R C I J O P U C
B M O N O I E A U H C O C O N
L A R Q L F R I T I I K R B O
E D K U C G I I R S T N L E O
W S D E S S E R T F A T A E P
P J S T O R R A C V H P R F S
```

Easter Lilies

```
B E T I H W E M U F R E P N Y
U I U K W C Y T U A E B A O S
L E C G L O R Y L E A V E S T
B R I G H T R U M P E T B A O
S N E L L O P G H V A S E O O
C T R E W O L F A C B Y H S R
T N A L P O T T E D M O O L B
```

Chickens

```
E S C K N A X Z W O L L E Y C
T N K A E B B E K F D E I R F
P E T C I M D C G C N E S T S
F H O R O E U X A N I M A L G
P O D C E L E H C T A H L N I
P K W F C G F A R M J R C O I
X I U L U X G X V I P H X P W
```

Answers   61

Celebrate

```
D P T S A E F R G N I V I G S
G H A L E T E N N O B Z M F U
J R C R I I Y L I M A F U O N
N W A N A L K G N I R P S O D
I U U S U D Y O R E N N I D A
G I F T S R E W O L F P C G Y
S P I L U T B K M C H U R C H
```

Family Vacation

```
R S E H J Y E R U T A N N B W
C L N C I O A X A L E R D N E
J A J A E S U W P O O L O B I
V E O E C W L R H L E T O M V
K M Y B S K R A N G O F F O T
O H S O N G S D N E I R F T G
T R I P Q O R O A D Y H E B F
```

Sunday

```
I C Y S O F A T A L K E X C T
Q K W I W D E Y L I M A F H B
V L T F B O O K S E L Z Z U P
J A A A S T R O L L E V I R D
P W K O G N I K I B E B S C B
W E S L O W U H L T S E R H R
Y U M U S I C F H K R A P A P
```

Playful Puppies

```
R E N E R G Y O U N G F U N N
L O V I N G I C Q E K P S U N
S B L I O W Y L K Y T M R A W
E Q Q L T L I D P S E U M S H
Y S M U L C O P Y S E J C Y L
Z V D I K Y A C H E W B H O P
E Z S S W H L L A M S O F T B
```

Easter Joy

```
N U S R E W O L F H F I G K K
S G G E L I M S U R N Y C I E
Y S P R I N G G I G G L E S V
O D L B C N N E S I R I K S O
T R A W C A N D Y W R M A E L
Y A Y K I D S U J K H A C S W
F C C I S U M U B I I F Y T Y
```

Flowers Everywhere

```
C B N V D G E N W R E A T H W
F R A T C E N Z P E T E N Z M
S S T E M Y K I Y E L U E B S
E T U L I P S C R O O Z C E M
A O R C H I D I I P A N S Y E
K P E T A L S V A P S O Y G L
I R I S G K U X T D R Y L I L
```

Answers

Tree House

```
Q B G W R E B M U L Y U L I B
T R E E T E R C E S F K W U Z
E I P L A Y A R D B U I L D O
V O E A W I N D O W R C H W J
R L B M I L C U S T O M O H I
C G N D E N H I G H O O V T W
A Q H W X S T N A S D I K U H
```

Renewal

```
V N T E S D N I M L A U T I R
H R E O V A N B Z C H A N G E
A E R W E E S P R I N G B M T
P L A L G N I L E E F X O O T
P A C E C N A L A B A C R O E
Y X I M P R O V E E E T N L B
N F R E S H T R I B E R H B L
```

Lots of Chocolate

```
T N Z C R N A O C O C A N D Y
E F H A X O B E K A H S B E U
E H G K V V A K U D U U I S L
W U D E U B R O W N N K P S A
S Y R U P A E U D N O F I E C
K R K U D N C A Y O T A E R T
W R F U D G E H C I R Z E T V
```

Flying Kites

```
C A D V O M L B X D F B Y Y S
W C Q N C L R H J U I O O K J
Y D P U O E L G N A T V C X U
K T A R E M U I E T F I E L D
Y P P Z M S A H F W R I A S M
I E E R T G N I R T S D I K J
Q K R G C V L O D L E U R Y T
```

At the Farm

```
S E S R O H S E E D S C O W N
S M I L K M F T L B R P E P Y
A R I B A R N E A O D L E I F
C S M N J M I R P O T O W G H
P U U L E Y I S K T G W I R W
L R N C A D T N A S N A E J P
E Z D H R O T C A R T Z F J J
```

Decorations

```
N G I S E D S E L D N A C D S
M F O R M W R E J T N C E S O T
U A W O O I E M S R I C G C T O
R B L L S N W I G A A E G P O H
A R L O A D O R N L V N S M H
L I A C I O L T S R E T S O P
P C W V C W F S T E K S A B V
```

Lent

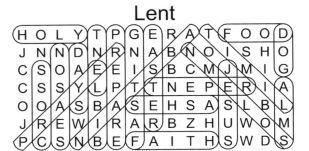

```
H O L Y T P G E R A T F O O D
J N N D N R N A B N O I S H O
C S O A E E I S B C M J M I G
C S S Y L P T T N E P E R I A
O O A S B A S E H S A S L B L
J R E W I R A R B Z H U W O M
P C S N B E F A I T H S W D S
```

Sunrise

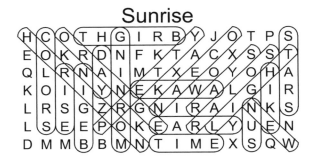

```
H C O T H G I R B Y J O T P S
E O K R D N F K T A C X S S T
Q L R N A I M T X E O Y O H A
K O I I Y N E K A W A L G I R
L R S G Z R G N I R A I N K S
L S E E P O K E A R L Y U E N
D M M B B M N T I M E X S Q W
```

Easter Egg Hunt

```
D L I H C A N D I E S D I K F
H O D D O A C O L O R P Y Z L
U B U N N Y D E K C A R C E D
N A E F T I Y B A S K E T A F
T N E V E Q F E U V G S M T U
P C I T S A L P G R A S S A E
P A I N T E Z I R P Y N D Q G
```

Answers

I hope you enjoyed this book.

Visit us at funster.com to discover more books that will exercise your brain while you have fun. It's a relaxing way to spend some quality time!

Sincerely,

Charles Timmerman

Charles Timmerman
Email me: games@funster.com

PS- Amazon reviews are extremely important. Could you leave one now? This link will take you to the Amazon.com review page for this book:

funster.com/review16

Made in the USA
Middletown, DE
13 April 2019